Vamos comprar um poeta

COLEÇÃO GIRA

A língua portuguesa não é uma pátria, é um universo que guarda as mais variadas expressões. E foi para reunir esses modos de usar e criar através do português que surgiu a Coleção Gira, dedicada às escritas contemporâneas em nosso idioma em terras não brasileiras.

CURADORIA DE REGINALDO PUJOL FILHO

DE AFONSO CRUZ
Vamos comprar um poeta
A boneca de Kokoschka
Nem todas as baleias voam
Para onde vão os guarda-chuvas

Edição apoiada pela Direção-Geral do Livro, dos Arquivos e das Bibliotecas / Portugal

GOVERNO DE PORTUGAL | SECRETÁRIO DE ESTADO DA CULTURA

Vamos comprar um poeta

Afonso Cruz

13ª IMPRESSÃO

Porto Alegre · São Paulo · 2025

Índice

- 7   Trinta gramas de espinafres
- 9   Exponencialmente parvo
- 12   De que tamanho?
- 14   A escolha de um poeta
- 17   Parar nas borboletas
- 18   Fazer a cama
- 20   O que é que ele vai fazer?
- 22   Jantar
- 25   Terríveis notícias
- 27   Na escola
- 29   A Via Láctea, por Mamon
- 32   Já não é uma algaraviada
- 34   Um poema espalhado no chão ou na perna de uma mesa
- 37   "Quarto"
- 39   Parece o mar
- 42   Prefere carne?
- 44   Só para verem o meu poeta
- 46   Oh, estaria doente?
- 48   Como era bonita aquela frase
- 50   Estarei a ficar poética?
- 53   Pedras contra poemas
- 55   Encomendar comida
- 57   Lucrativo ou não?
- 59   Inutilista, sem dúvida nenhuma
- 61   A poesia faz-nos muito mal
- 63   Desodorizante nos sovacos
- 65   Pusemos o poeta no carro
- 66   Não conseguia comer
- 68   Dois
- 70   O que nasce do vazio
- 73   Mudar de vida
- 76   Nunca se abandona a poesia nem num parque, nem na vida
- 82   Apêndice

Trinta gramas
de espinafres

Hoje comi trinta gramas de espinafres, o quilo custa dois euros e trinta, é fazer as contas, precisamos de trinta cêntimos por dia para ter alguma vitamina k, diz um estudo. O pai exerceu vinte gramas de força na porta da cozinha e disse muito alto, antes de nos deixar na cara um ou dois miligramas de saliva, ou beijos, se quiserem ser poéticos: crescimento e prosperidade.
Eu respondi na mesma moeda.
Dizem que é bom transacionarmos afetos, liga as pessoas e gera uma espécie de lucro que, não sendo um lucro de qualidade, já que não é material e não é redutível a números ou dedutível nos impostos ou gerador de renda, há quem acredite — é uma questão de fé —, que pode trazer dividendos.
O pai diz que são fantasmas, são coisas que não existem, matéria imaterial, mas há estudos que confirmam a hipótese de haver benefício em depositar uns mililitros de saliva na maçã do rosto de outra pessoa, por mais estranho e grotesco que isso nos possa parecer.

Maçã do rosto é uma expressão esquisita e incompreensível, já que está mais do que provado que não existem maçãs no rosto, é mais do que evidente que nascem nos hipermercados ou pelo menos é lá que são recolhidas para a manutenção da saúde e da mais básica nutrição.

Exponencialmente parvo

O meu irmão é exponencialmente parvo. Calça quarenta e quatro e tem borbulhas, trinta a quarenta em cada bochecha (muito mais lógico do que maçã do rosto), sem contar com a testa e o queixo e o nariz. Usa óculos. As sobrancelhas quase não existem devido ao défice de pelos, e quando fala diz coisas como "apreça-te" ou "não me arrombes a carteira" (que quer dizer que o estou a aborrecer) ou "aumenta-me a taxa de juro" (que diz tanto para quando não está a perceber o que lhe digo — acontece vezes sem conta — como para quando quer ser mais atrevido com uma rapariga). Apaixona-se com facilidade e entra, por causa disso, numa quase constante bancarrota emocional. Mais de noventa por cento dos colegas e setenta e quatro por cento da família concordam no resultado: é um pateta.

Ao chegar a casa, cumprimentei-o com a normal fórmula de cortesia: crescimento e prosperidade. Ele respondeu exercendo um gesto obsceno com o dedo médio da mão direita e investindo a língua para fora enquanto abria a boca. Vestia uma t-shirt patrocinada por uma gasolineira.

Sentou-se na cozinha a comer biscoitos de gengibre, sete, enquanto demonstrava, usando palavras e gestos, o calor sentimental que o perturbava.

Estou apaixonado, disse.
Quanto?, perguntei.
Setenta por cento.
Uau!
Desta vez é a sério.
Setenta por cento?
Talvez mais, setenta e dois ou mesmo setenta e três. Ainda não fiz um estudo.
Com a X89234 também te afeiçoaste nessa percentagem.
Sim, mas estava a passar um período de grande fragilidade interior.
Estavas com fome?
Não me arrombes a carteira.

Encolhi os ombros:
Tens a certeza de que desta vez é que é?
Como dois e dois serem quatro.
Setenta e três por cento, dizes tu?
Sim. Nunca menos de setenta.
Parece-me sólido. E ela?
Hoje, quando me disse para ir esfregar moedas, pareceu-me que estava realmente disposta a associar-se a mim, mas quando me aproximei e ela começou a gritar, percebi que talvez não esteja apaixonada por mim mais do que trinta, trinta e seis por cento.

Mas poderá crescer?
Com toda a certeza.

De que tamanho?

Achei muito estranho que acedessem à minha petição — à petição que irei relatar de seguida —, sem qualquer inquérito por escrito. Não tenho números suficientes para descrever como me senti feliz com a decisão. Nesse dia, à noite, ao jantar, levantei-me e declarei:
 Gostava de ter um poeta. Podemos comprar um?
A mãe não disse nada, limitou-se a levantar a louça, quatro pratos de sopa, quatro colheres de sopa e informar os comensais, eu e o pai e o meu irmão, de que a carne seria servida de seguida, dentro de trinta segundos. O pai acabou de mastigar um bocado de pão, cerca de treze gramas, moveu os maxilares cinco vezes e inquiriu:
 Porque não um artista?
A mãe disse:
 Nem pensar, fazem muita porcaria, a senhora 5638,2 tem um e despende três a quatro horas por dia a limpar a sujidade que ele faz com as tintas naqueles objetos brancos.

Telas.
Isso.
Muito bem, disse o pai, compramos um poeta. De que tamanho?

A escolha
de um poeta

No dia da escolha, fomos a uma loja, eu e o pai. O pai não é alto, e eu tampouco, aliás, é por isso que na escola me chamam ordenado mínimo, que é algo que já existiu em tempos, mas que felizmente foi extinto, porque, dizem, era um entrave à competitividade mais elementar.
Na loja havia poetas de muitos tipos, baixos, altos, louros, com óculos (são mais caros), sendo a maior parte, sessenta e dois por cento, carecas, e sessenta e oito por cento de barba.
Gostei de um que era ligeiramente marreco, uma escoliose com uma curvatura oblonga.
Trajava um colete de fazenda, setenta e cinco por cento lã, sendo os restantes vinte e cinco nylon, calças de bombazina castanhas, pantone setecentos e trinta e dois, sapatos de couro já muito usados. Fungava e tinha um livro debaixo do braço. Nenhuma das suas roupas tinha patrocínio de marcas.
O pai cumprimentou o vendedor com a cortesia des-

tas ocasiões, há sempre uma grande solenidade, sacralidade, no ato de iniciar um possível negócio:
Que os números lhe sejam favoráveis, disse ele.
Crescimento e prosperidade, respondeu o vendedor.
O pai apontou para o poeta que fungava e não tinha patrocínio nas roupas e perguntou se aquele exemplar era subversivo, que é a característica mais temida nos poetas, é o equivalente à agressividade dos cães.
O senhor da loja respondeu:
Está abaixo dos dois por cento. É sempre necessário serem um pouco subversivos ou a qualidade poética baixa demasiado e não gera lucro, ninguém compra, acabam preteridos a bailarinos ou hamsters.
O que é que ele come?
Qualquer coisa. Não são muito esquisitos, muitas vezes, três a quatro ocorrências por semana, chegam inclusivamente a esquecer-se de comer. Alguns abandonam a refeição a meio e levantam-se para deambular sem qualquer destino. Acontece muito ao pôr do sol ou ao luar ou com nevoeiro, é um comportamento típico. Não estranhem se os virem parados muito tempo como se estivessem a fazer contas. Não estão, são incapazes da soma mais elementar. Essas paragens são precisamente os momentos em que começam a fazer poemas nas suas cabeças. É um processo fascinante. Não se irão arrepender de comprar um poeta. E são muito mais asseados do que os artistas.
Já tinha ouvido dizer.
Mais alguma coisa que devamos saber sobre a manutenção de um destes exemplares?, inquiri eu.

Para o entreter, compre-lhe cadernos com folhas brancas e canetas. Pode também adquirir alguns livros. Temos de várias marcas.

Parar nas borboletas

O pai tem poucos cabelos, quase que dá para contar, ou, pelo menos, ter uma estimativa. Há uma área, no topo, que permite uma contabilidade mais imediata, já que nessa região os cabelos inexistem. O pai pega numas dezenas deles que pendem junto à orelha esquerda e obriga-os a descreverem uma migração até à zona correspondente no lado direito. Quando o pai se irrita, calcula-se cerca de uma a quatro vezes por dia, os cabelos saem do lugar e ficam pendurados no lado esquerdo da cabeça, seu lugar de origem, chegando a tocar-lhe no ombro. O pai tenta corrigir esse movimento involuntário dos cabelos, mas nunca resulta tão bem como quando acaba de sair do banho e se penteia em frente ao espelho. Demos trezentos e quarenta e dois passos desde a loja até casa. Eu, o pai e o poeta.
Sensação estranha. Enquanto caminhávamos, o poeta deu-me a mão.
Quando via borboletas ficava a olhar para elas. Aconteceu duas vezes durante o trajeto.

Fazer a cama

Em casa, o pai ordenou que a mãe fizesse a cama para o poeta.
Onde?, perguntou ela.
Debaixo das escadas, disse o pai, há três metros quadrados. Comprámos um poeta pequeno, caberá aí um divã e uma pequena mesa onde possa realizar as suas atividades diárias. O meu irmão desceu as escadas, que tinham patrocínio de uma empresa de telecomunicações. Parou, encostado ao corrimão, e olhou para o poeta com um sorriso de escárnio. Abanou a cabeça para os lados, cinco vezes. Queria dizer que eu sou caprichosa e que só me interesso por coisas inúteis com pouco valor no que concerne ao crescimento económico ou com um valor de mercado desprezível.
O poeta olhava para todos os lados. Devia estar feliz, agora tinha um lar.
A mãe fez que sim com a cabeça, inclinando o queixo para baixo e subiu os trinta e três degraus até ao

primeiro andar, onde ficavam os quartos. Voltou com dois lençóis e um cobertor.
Pousou-os no sofá da sala. Abriu o divã e arrastou-o para debaixo das escadas depois de ter limpado os tais dois metros quadrados e meio (o pai exagerou no cálculo do espaço quando disse três).
Fez a cama.
Colocou uma pequena mesa, que servia de apoio ao sofá, especialmente para que o pai pousasse o *whisky* e este item ali ficasse esquecido meia hora a quarenta e cinco minutos (ou menos) depois de se sentar e começar a beber. Tinha um tampo redondo, vidro temperado, com trinta e sete centímetros de diâmetro. Bonita, diria um poeta.

O que é que ele vai fazer?

O poeta aproximou-se do sofá e passou as mãos pelo tecido.

É um sofá, disse eu, mas ele nem sequer olhou para mim. Não que estivesse à espera, já que os estudos afirmam que os poetas vivem com pouca relação com a realidade e com quem os rodeia, não é que sejam parvos, é mais uma característica, assim como ser muito baixinho, digamos, abaixo de um metro e quarenta, ou ter manchas pretas como as vacas leiteiras que aparecem nas embalagens dos chocolates importados da Suíça ou da Bélgica.

A mãe alisou os lençóis, patrocinados por uma empresa de exportação de frutas e legumes, virou-se uns quarenta e cinco graus, baixou-se um pouco, bateu com a mão direita três vezes na cama enquanto sorria para o poeta. Aquele gesto significava: vá, deite-se.

O poeta aproximou-se lentamente.

Os olhos brilhavam.

Não sei se eram lágrimas.

Sentou-se na cama.
Ficámos parados a ver.
O poeta descalçou-se.
A mãe torcia as mãos à frente do avental.
O poeta deitou-se de costas e levou as mãos ao interior do casaco.
Tirou um livro.
    Por Mamon, o que é que ele vai fazer?, perguntou o meu irmão, alarmado.
    Vai ler, respondi eu.

Jantar

Os pais convidaram alguns amigos.
Sentámo-nos todos à mesa. A mesa, que era de mogno, tinha em cima dois candelabros de estanho, duas velas de estearina acesas, toalha com patrocínio do perfume *Fragance Très Très Oriental 2.1*, pratos e talheres e guardanapos de pano para onze pessoas, a saber: a mãe, o pai, o poeta, o meu irmão, eu e seis convidados que adiante passarão a ser designados pela ordem de chegada, ou seja, convidado 1, convidado 2, convidado 3, etc., ordinalmente, portanto. O género de cada um dos comensais é irrelevante, por isso, abstenho-me de o referir. O jantar era composto de *couvert* (cem gramas de pasta de fígado, quinze pãezinhos variados de cerca de trinta gramas cada), creme de couve-flor, duzentos mililitros por prato, e salmão como prato principal, postas de cento e cinquenta gramas de peixe criado em viveiro, acompanhadas de legumes salteados em óleo (vinte mililitros de gordura polinsaturada), dois dentes de alho, pimenta e sal q.b.

Tens um poeta?, perguntou o convidado 3, enquanto distribuía pasta de fígado num pedaço de pão com dois ou três centímetros na parte mais larga.

Tenho, respondeu o pai.

Come à mesa convosco?

Come.

O que é que ele faz?

Poemas.

Uau! Maravilhoso, disse o convidado 6. Adoro poesia.

Não é barulhento?, perguntou o convidado 1.

Nem por isso, disse eu.

É fascinante, disse o convidado 6.

A mim aborrece-me, disse o convidado 3. O meu cônjuge, em criança, teve um escultor.

Fazem muita porcaria, disse a mãe.

Os cônjuges?

Os escultores.

Sim, mas dizem que compensa, que se adquirem momentos de beleza que, apesar de imaterial, há quem diga que faz falta.

Superstições, disse o convidado 2.

De qualquer modo, trabalham muito bem a pedra, disse o convidado 3.

Quem?, perguntou o convidado 5.

Os escultores.

É isso que eles fazem?

Podem fazer aquelas coisas noutros materiais... Acho eu. Talvez também madeira ou mesmo plástico. Mas o do meu cônjuge trabalhava a pedra.

Pena que esse trabalho não sirva para nada. Não

se podia fazer com que uma empresa de exploração mineira os contratasse?, perguntou o convidado 6.

Não conseguem trabalhar. Têm aquela doença, respondeu o meu irmão.

O pai pediu ao poeta que dissesse um poema. Ele levantou-se. Ouviu-se *Jdjdjdjfjfijfifijfif-jjfk*, mas o que o poeta disse foi *Folhas dos túmulos, folhas do corpo crescendo sobre mim, sobre a morte.*

Não percebo nada, disse o convidado 4.

Dddffghhhhhg, disse o poeta, ou seja, qualquer coisa como *sete rosas mais tarde* (gostei deste porque era composto por um número, ainda que de baixo valor, abaixo da dezena).

Muito bem, muito bem, aplaudiu o convidado 6.

Hhjjdjdjjjjdjjjd, disse o poeta, que é o mesmo que *na margem extrema do olhar: a Mim buscar-me--ás em ti.*

Que serão fantástico, com poesia e tudo, comentou o convidado 6.

Hhhjxhsjjjsjjjsjjsjsjkkkk, disse o poeta, ou seja, *o dromedário leva às costas o horizonte e uma pequena montanha.*

Bravo!, disseram os comensais um uníssono.

Terríveis notícias

O pai chegou a casa com terríveis notícias, a conjuntura externa não era favorável e a fábrica estava a perder cotação de mercado.
Ficámos aterrorizados. A tensão arterial subiu assim como as palpitações cardíacas. O meu irmão foi o único a mostrar alguma calma.
Vamos ter de apertar o cinto, declarou o pai.
Nunca percebi o que isso quer dizer, disse o meu irmão.
O quê?
Apertar o cinto.
Quer dizer que não podemos despender demasiado nas compras, que temos de poupar, arrecadar, reduzir os gastos.
Eu sei, mas o que é que o cinto tem a ver? Não é para segurar as calças?
É um arcaísmo. Provavelmente, há muito tempo, o cinto servia para impedir o consumo.

As nossas sombras respiravam juntas e com elas tudo ficava resguardado, disse o poeta.
O quê?, perguntou o pai, exercendo dois ou três quilos de pressão sobre a mesa.
Más notícias, ó vate, disse eu.
Ele sentou-se ao meu lado e sorriu, declarando:
Embora muitas sejam as folhas, a raiz é só uma.
Provavelmente não percebeu que os números não estavam do nosso lado.
Repeti:
Estamos em crise, ó poeta.
E ele levantou-se porque entrou uma mosca. Foi atrás dela com o bloco e a caneta.

Na escola

Na escola, quando disse às minhas colegas que tinha recentemente adquirido um poeta, houve alguma inveja desta minha propriedade tão exótica. A NM792 comentou:

Os poetas nem sequer têm noção da mais elementar pirâmide das necessidades.

Como assim?, perguntei.

Acham que comer vegetais, cereais e laticínios, por exemplo, é mais importante do que simplesmente consumir produtos amorfos e fazer circular a economia.

Isso não é verdade, disse eu.

Discutimos com intensidade e quase cancelámos quaisquer transferências de afetos que pudéssemos ter uma pela outra. A NM 792 chegou a acusar-me de inutilista, que é o que o meu irmão acha de mim, de forma injusta, já que não sou nada disso. Gostava de ter um poeta, e depois? Há muitos estudos que afirmam que ter um artista, um bailarino, um ator, ou mesmo um poeta, ajuda a combater o stress, a baixar o colesterol mau, o que nos torna cidadãos e profissionais mais produtivos, concentrados e eficazes. Ora bem, nada mais útil do que isso.

Amanhã, pensei, esfrego-lhe estes estudos na cara. Evidentemente que, quando cheguei a casa, fui tirar o caso a limpo, havia que inquirir o poeta sobre a questão da pirâmide das necessidades. O poeta deambulava (acho que é assim que os poetas andam) pela casa, o olhar perdido naquela linha de interseção entre o teto e a parede. Interpelei-o.

Por acaso, o poeta acha que vegetais e frutas são o mais importante da pirâmide das necessidades?

Evidentemente que não.

É o quê, então?

É a liberdade.

Francamente...

A Via Láctea, por Mamon

A meio da manhã, no intervalo das aulas, vi o meu irmão aproximar-se da BB9,2. Deu treze passos, ficou a uns escassos e perigosos setenta centímetros dela, disse-lhe qualquer coisa.
Ela olhou para as duas amigas que a acompanhavam. Primeiro para a da esquerda, depois para a da direita, antes de atirar a cabeça para trás numa gargalhada.
Apesar de o meu irmão ser um perfeito parvo, não sei se conseguiria, ainda assim, inventar uma frase capaz de atingir alguém de um modo tão radical. Uma pessoa quando o ouve pode ter vontade de revirar os olhos, de soltar uma imprecação, mas nada de muito intempestivo.
São sempre parvoíces relativamente irrisórias, mesmo que sejam irritantes, que se resolvem com o afastamento de dez ou mais passos, até conquistarmos um raio de sete ou oito metros. É a partir dessa distância que ele percebe com clareza que não estamos interessados em ouvi-lo. Ou que queremos que ele desapare-

ça. Ou que morra com uma doença prolongada. Mas uma gargalhada daquelas nunca se viu, o normal é o regular afastamento.

Ele não reparou que eu observei toda a inusitada ocorrência. A minha curiosidade era tal que o meu coração começou a bater muito mais rapidamente, numa cadência que inclusivamente me custava contabilizar. Eu tinha de saber com toda a brevidade possível o que ele tinha dito à BB9,2 (que nome pomposo, com vírgula e uma dízima ridícula).

Quando me encontrei com ele à saída da escola perguntei-lhe como foi o dia.

> Estás a arrombar-me a carteira. Porque queres saber?
> Por nada.
> Por nada?
> Por nada.
> Sempre com as tuas coisas inúteis. Por nada...
> Bom, queria apenas confirmar que estava tudo bem e que continuavas a ser o irmão mais execrável da Via Láctea.
> A Via Láctea tem irmãos?

A mãe esperava-nos à porta de casa. Estava zangada com o poeta.

Perguntei à mãe o que se passava.

> O que é que se passa?
> Sim, o que aconteceu?

O meu irmão disse:

> Por Mamon, esse poeta só dá problemas. Aposto que partiu alguma coisa a fazer um verso ou isso.

A mãe disse que não, que não fora isso.

Mesmo assim, despedia-o, disse o meu irmão.
Então?, inquiri.
Agora não posso dizer que vem aí o vosso pai.

Já não é uma algaraviada

Aos poucos fui começando a perceber o que o poeta dizia e já não era uma algaraviada, ouvia efetivamente palavras. Mas ainda passava muito tempo a tentar perceber aquelas mentiras.
Metáforas.
Metáforas?
Sim, confirmou o poeta.
Peço desculpa, mas um sapato não é uma luva apaixonada pelas mãos erradas. No mundo onde todos vivemos chama-se mentira e é muito feio, desconta-nos muitos pontos percentuais de moralidade.
E o poeta argumentava com mais mentiras. Por exemplo, atente-se a este caso, em que foram declaradas dezanove palavras, e cujo resultado é este: *As migalhas que voam mais alto são as que preferem os bicos dos pássaros aos caprichos do vento.*
Incompreensível em quase oitenta e nove por cento!
Eu perguntei-lhe o que eram caprichos e ele respondeu-me que eram os cabelos que tenho no alto da ca-

beça, que, por mais que os penteie, se levantam sempre, como se estivessem num tribunal.

Num tribunal?

Sim, o juiz manda sempre levantar o réu.

O réu?

O réu é a pessoa que tem de se levantar em tribunal.

Eu sei o que é um réu, eu sei o que é um tribunal, mas o que é que cabelos têm a ver com réus?

Bom, eu vi uma relação.

Francamente...

Um poema espalhado no chão ou na perna de uma mesa

Estava desejosa de estar sozinha com a mãe para saber porque ela estava zangada com o poeta. Como era fim de semana, a situação complicava-se. Ficávamos todos em casa, que estávamos num período de poupança, ou aperto de cinto (perdoem-me o termo técnico) e não havia possibilidade de ir gastar dinheiro para a rua, por mais que o desejássemos, e devo confessar que a nossa necessidade mais elementar de consumo estava ao rubro, havia mais de trinta e duas horas que não consumíamos nada e não contribuíamos para a economia circular livremente, nem para o crescimento, nem para a prosperidade.
Mas, como disse, estávamos impossibilitados de o fazer, por motivos óbvios que os próprios mecanismos económicos ditam.
A mãe passou a tarde de um lado para o outro, a maior parte do tempo a limpar o pó dos números encadernados da revista *Dinheiro É Felicidade*. O pai apareceu num artigo do fascículo trezentos e oitenta e três, maio

de há nove anos, citado por um economista francês, como exemplo de gestor rigoroso, depois de ter trabalhado durante seis meses num projeto de uma empresa alemã de produção de obsolescência universal, um produto industrial pronto a usar em qualquer produto comercial para garantir uma fiável efemeridade. Pelo menos é isto que está escrito no artigo, apenas cito com o rigor que nos deve sempre pautar a vida.
Reparei que o poeta passou um papelinho às escondidas ao meu irmão. Ele fingia que via televisão e o poeta fingia que se inspirava numa perna da mesa da sala, pois agora sei, ele próprio me disse em poucas palavras, não mais de quinze ou dezasseis, que um poema se pode encontrar dentro de qualquer coisa ou mesmo espalhado no chão.

Espalhado no chão, ó poeta?
Sim, ou a pousar no vidro da janela.
Recomeça com as suas mentiras?

Ele encolheu os ombros e fez um gesto largo com os braços, percorrendo um ângulo de noventa graus até ficar com eles abertos:

Estão em todo o lado, os poemas, e a maior parte das vezes até preferem esconder-se nos objetos mais singelos.
Como a perna de uma mesa?
Sim.

Pensei: o que é que se passa na minha casa? Contabilizei várias coisas estranhas, que decidi enumerar. Enquanto isso, o pai fazia algumas contas com a ajuda de uma velha calculadora.
O poeta aproximou-se.

O pai gemia:
 Está a cair, estamos a cair.
 A cair?, perguntou o meu irmão. Virou-se para mim.
 Acho que é grave. Será aquela coisa má?
 Bancarrota?
 Não digas essa palavra, estúpida!
 Bancarrota, bancarrota, bancarrota, bancarrota, bancarrota, bancarrota, bancarrota, bancarrota, repeti eu oito vezes.
O meu irmão tapou os ouvidos e foi a correr para o quarto a gritar.
O poeta aproximou-se do pai, que dizia:
 Está a cair, estamos a cair.
Então o vate disse um poema, que tinha a ver com estatísticas:
 Em cem pessoas [...] *constantemente receosas / de algo ou alguém — / setenta e sete.*
O pai levantou a cabeça, os cabelos saltaram do lugar e ficaram pendurados sobre o ombro esquerdo, a cara estava vermelha devido à concentração de sangue nessa zona, que tem grande profusão de vasos capilares.
 Já para o quarto, gritou o pai para o poeta.

Não é um quarto, pensei eu, é um vão de escadas com dois metros quadrados e meio.

"Quarto"

Fui ter com o poeta ao "quarto" (começo a perceber o que é uma metáfora). Ele estava sentado na cama, os cabelos (impossível contar) despenteados e caídos sobre o rosto davam-lhe um ar triste. Os joelhos estavam juntos, os calcanhares afastados doze centímetros e as pontas dos pés a tocarem-se. Sentei-me ao lado dele. Levantou a cabeça e sorriu. O sorriso aberto para dentro, como ele dizia, por causa da falta de um dente da frente.

Debaixo da cama, escondem-se versos, disse ele.

Não são monstros?

Alguns versos são.

O poeta voltou a sorrir. Tirou o caderno do bolso e começou a rabiscar qualquer coisa. As estatísticas diriam sobre a natureza daquela ação: um poema ou, pelo menos, um verso.

Precisa de engraxar os sapatos, poeta.

Voltou a olhar para mim. Depois para os sapatos. Depois para mim. Sorriu. Depois para os sapatos. Recomeçou a rabiscar.

Era definitivamente um poema, podemos concluir isso, pois ia na quinta linha.

Os monstros, disse ele, são muito parvos. Se dermos um passo na sua direção, já não sabem onde estamos e continuam a correr em frente a tentar assustar-nos, mas estão completamente desorientados, não percebem que já passaram por nós.

Sim, os monstros são muito parvos. O pai é um pouco, por vezes até numa percentagem elevada, parvo. Como o meu irmão.

Temos de dar um passo na sua direção.

Pois temos. Mas não quando ele estiver a fazer contas. Não gosta de ser interrompido. Fica nervoso cem por cento das vezes.

Um pequeno passo.

Sim. Mas não quando ele estiver a fazer contas.

Parece o mar

Sem me querer imiscuir muito na vida do parvo com quem partilho a mesma herança genética, mas sem conseguir conter a minha curiosidade, decidi tentar falar com uma das amigas da BB9,2, a N7468,1734, que tem um nome ainda mais pomposo, depois da vírgula seguem-se quatro algarismos, sobre precisamente o parvo com quem partilho a minha herança genética.
Debalde. Tudo o que ela me disse eu já sabia, o meu irmão é um caso de estudo, ridículo e inepto, num total simples de calcular mesmo sem ajuda de contabilidade organizada: parvo. Ao lanche, a mãe serviu-me um pão com manteiga, por volta de três gramas da mesma, que espalhou com faca de aço inoxidável, fabrico nacional, patrocínio de uma agência de publicidade (exibido no cabo) e de uma marca de cosméticos (exibido na lâmina).
    Ontem estavas zangada com o poeta.
Murmurou qualquer coisa.

Foi por ter escrito na parede uma frase com vinte e três letras?
Não interessa.
O poeta efetivamente havia escrito na parede. Dois dias antes, ao sentar-me ao seu lado, reparei que a parede estava escrita com caneta de feltro preta, trinta centímetros acima da cama.
O que é aquilo, ó poeta?
Uma janela.
Parece uma frase, talvez um verso.
É uma janela. Tem vista para o mar.
Li a frase de vinte e três letras. Dizia assim: *Como é que o mar, tão grande, cabe numa janela tão pequena?* Apesar de a mãe não ter confirmado que a sua quebra de contrato emocional com o poeta se devera à frase escrita na parede, insisti:
Aquela frase, mamã, é uma janela.
É o quê?
Uma janela com vista para o mar.
Ele abriu uma janela sem licença camarária?
É uma situação meramente poética.
O que é que se passa contigo?
Nada...
A poesia está a fazer-nos muito mal.
Como assim?
A mãe sentou-se na cadeira da cozinha, assento de napa e patrocínio de imobiliária do Sul, e começou a chorar. Três soluços emitidos muito alto e alguns indefinidos com uma cadência muito rápida, seguida de um fungar prolongado, gghhhhhhhhhhhh, a que ela prontamente acorreu com um lenço de papel que

tirou do bolso da frente do avental, patrocínio de um avicultor, e limpou o ranho que lhe chegava ao lábio superior, precisamente onde a idade já colocara três rugas com pouco recorte, mas com algum efeito de desalento e depressão na psique de uma mulher que se sentia cada vez menos jovem.
Aproximei-me, exerci uns treze ou catorze gramas de força sobre o seu ombro e investi no afeto que sentimos uma pela outra.

O que é que se passa?, perguntei.
Nada, nada, disse ela.

Prefere carne?

O pai gritou do escritório lamentando o colossal erro nas previsões da receita e o buraco gigantesco nas contas da fábrica.
Ouviram-se os seus punhos a bater enfaticamente na secretária de madeira laminada, três vezes, e de seguida um silêncio que durou três minutos e que só foi interrompido por:
    O jantar está pronto, gritou a mãe da cozinha, entre setenta e um a setenta e seis decibéis, segundo me pareceu, já que não possuo um instrumento que possa garantir a potência sonora. Sentámo-nos todos à mesa. O pai, cujos cabelos já haviam migrado para o ombro esquerdo, muito provavelmente devido aos socos na secretária de madeira laminada, tinha a gravata a descair para a esquerda e um dos colarinhos, o direito, levantado, patrocínio de uma casa de informática (reparações).
O poeta sentou-se ao meu lado, como era hábito, pousando, ao lado do guardanapo, o seu caderno e o lápis.

O meu irmão assobiava uma melodia horrorosa, que era muito usada antigamente quando se abria uma máquina registadora de uma marca já esquecida.
A mãe serviu o esparguete com ervilhas e disse:

Não há peixe nem carne, pois há que apertar o cinto, poupar nestas coisas supérfluas da alimentação.

Temos de enveredar por um caminho de consolidação orçamental, disse o pai.
O poeta começou a compor um verso com a massa. Com os dedos partia e torcia o esparguete até fazer uma palavra.
Lia-se: amêijoas.

A menina é servida?, perguntou ele a apontar para "amêijoas".

Não. Obrigada.
Começou a torcer o esparguete até fazer a palavra "bife":

Prefere carne?

Só para verem o meu poeta

Levei as minhas melhores amigas lá a casa para verem o meu poeta.
A 76C levava uma saia patrocinada por uma célebre empresa de massagens. Tinha pintado as unhas das mãos de amarelo e o cabelo estava preso na nuca com três ganchos de plástico castanho. A E60 trajava calças de ganga, patrocínio de um resort oriental. Ao verem o poeta, pararam as duas, sussurraram qualquer coisa entre elas.
A E60 apontou para a frase escrita na parede.

Sujou a parede. Pensava que só os pintores eram assim.

Assim, como?, perguntou a 76C.
Como os artistas, que sujam muito.
Para que é que servem?
Os artistas?
Sim.
Para nada. São inutilistas.
O que é que este poeta faz?

Poemas, respondi eu.
Para que servem?
Para muitas coisas. Há poemas que servem para ver o mar.
Elas olharam para mim, os olhos muito arregalados.

Oh, estaria doente?

À noite, deixei de ver os programas habituais.
Os espetáculos de televisão sobre contas e finança e economia já não me diziam nada.
Olhava para os pósteres que tinha nas paredes do quarto com todas as estrelas da bolsa e sentia uma espécie de vazio comercial ou, no mínimo, emocional.
Estaria doente?
Falei disto com o poeta, que me perguntou se não poderia haver entretenimento para lá de atividades geradoras de lucro.

Há entretenimento, sim, não vemos só os números da bolsa.

Ah, sim?

Sim, também vemos programas com economistas, gestores, banqueiros, a comentar a situação do país, publicidades, concursos em que as pessoas podem aumentar muito as suas posses, nomeadamente, automóveis, habitações, etc.

Sim, mas e coisas sem finalidade pecuniária?

Francamente...

Mas fiquei a pensar naquilo, já que tenho trocado as noites em frente à televisão a verificar o crescimento do desemprego por cerca de uma hora e quarenta e cinco minutos de conversa com o poeta, ou simplesmente de leitura de um dos seus livros sem patrocínios. Ele usava-os um pouco como se fossem manuais de economia. Aliás, estou até habilitada a ir mais longe. Ele falava com os livros, como se fossem amigos. Perguntava a Flaubert o que achava disto ou daquilo e abria o livro e obtinha respostas.
E isso deleitava-me.

No dia seguinte, na escola, haveria de me deparar com um acontecimento extraordinário.

Como era bonita aquela frase

Estava uma manhã muito bonita, o ar, como se costuma dizer, cheirava a dólares. O meu irmão levantou-se com alegria e espreguiçou-se duas vezes, esticando os braços de dívida colossal para os lados.
Fomos para a escola. Ele estava anormalmente nervoso, suspirou alto por quatro vezes durante o nosso trajeto de cerca de quinhentos metros, desde a paragem de autocarro à entrada da escola. Separámo-nos como de costume. Eu, no entanto, enquanto me dirigia às minhas amigas, virei-me. O meu irmão estava parado no meio do pátio. Caminhou timidamente. Tirou do bolso um papel amarrotado. O papel que o poeta lhe dera, tinha a certeza! Leu o seu conteúdo. Voltou a guardar o papel. Tirou-o mais uma vez, voltou a ler. Deu vários passos em frente, tão decidido que eu nem consegui contar.
Aproximou-se a menos de sessenta centímetros da BB9,2.
Disse qualquer coisa.

Ela corou.
Eu fiquei parada, sem saber o que pensar. Por Mamon!, exclamei para mim mesma, o que é que se estava a passar?
Mais tarde, vi-a aproximar-se do meu irmão. Estava suficientemente perto deles para ouvir a conversa. A BB9,2 pediu que ele repetisse o que lhe havia dito de manhã.
O meu irmão pigarreou duas vezes.
Recitou a frase.
Oh, por Mamon, como é bonita essa frase.
Foi cem por cento surpreendente, imprevisível: a BB9,2 disse que tinha gostado, de um modo tão cheio de inutilidade quanto a própria frase que eu acabara de ouvir. Sentia-se que a velocidade do seu batimento cardíaco tinha aumentado de forma substancial, para cento e trinta batimentos por minuto, ou algo parecido, muito acima da média normal em repouso.

    Isso é bom?, perguntou o meu irmão.
Ela disse que sim.
    Bom, como?
    Como se fosse lucrativo, disse ela.
E o meu irmão ficou vermelho, os olhos a piscarem sete vezes, as pernas a tremer, enquanto ela se afastava com os cadernos debaixo do braço. Ao entrar na sala de aula, patrocinada por um banco estrangeiro, virou a cabeça, olhou para o meu irmão, e sorriu.

Estarei a ficar poética?

Parecia um padrão, mas todos os dias se discutia lá em casa.
O pai disse que os indivíduos de outras etnias furtavam muito.
O poeta disse que banqueiros e mercados financeiros é que roubavam. E em quantidades impossíveis de contabilizar.
A frase foi muito ousada, quem é que no seu bom senso poderia dizer uma coisa daquelas sem esperar consequências? Eu nunca tinha ouvido nada tão ofensivo nem tão errado.
O pai mandou-o para o quarto com um grito contido, mas eu reparei no horror que se lhe espelhava no rosto. (Espelhava no rosto? Estarei a ficar poética?)
E fica sem jantar, acrescentou o pai enquanto os cabelos esvoaçavam da orelha direita para o ombro esquerdo.
O poeta deambulou até ao vão de escadas e sentou-se na cama, a cabeça levantada uns quarenta e cinco

graus, o olhar perdido, a boca semiaberta, menos de um centímetro, na zona central.

Eu, depois de baixar os talheres para que a mãe levantasse a mesa, fui ter com ele.

O tempo não está para brincadeiras, poeta. A conjuntura internacional prejudica-nos o desempenho.

O tempo?

Não está para brincadeiras.

As pessoas veem o tempo a passar enquanto nós vemos o tempo a parar. Num segundo, uma eternidade.

Que bonito, poeta.

Obrigado.

Levou as mãos à barriga, que, pareceu-me, soltava borborismos.

O que é que se passa?

Estou um pouco maldisposto.

Por causa do meu pai?

Não, tenho aqui uma palavra qualquer que está a querer sair. Perdão, mas vou ter de a escrever.

Esteja à vontade, vate.

Agarrou no caderno e começou a escrevinhar furiosamente, soltando por vezes uma ou outra exalação mais longa, a cada sete a dez segundos. Riscou, arrancou a folha, amachucou-a, atirou-a para o chão, voltou a escrevinhar. Levantou a cabeça, durante este processo, por três vezes, pousando a parte de trás do lápis na boca enquanto olhava para a linha de interseção entre o teto e a parede. Depois, muito calmamente, fechou o caderno e pousou-o ao lado na cama. Sorriu, ou, como diria o poeta, a boca desenhou um sorriso depois de o lápis ter feito amor com o papel e desse beijo de grafite ter nascido... É melhor parar com isto, que loucura é esta?!

Francamente...

Pedras contra poemas

Quando vinha da escola, ao final da tarde, uns miúdos atiravam pedras ao poeta, que estava na rua a escrevinhar no seu caderno as inutilidades próprias da sua natureza.

Por Mamon, gritei, e corri para o proteger. Ele, ao sentir uma pedra a colidir com uma costela flutuante do lado esquerdo do tronco, parou a olhar para a agressividade dos rapazes. Os olhos tremiam-lhe. Uma pedra bateu-me na perna e comecei a gritar e a chorar de dor e de raiva. Que lucro tirariam aqueles imbecis de um ato como esse? Dei a mão ao poeta e puxei para que corresse e me acompanhasse desenfreadamente pela rua abaixo, para longe daqueles rapazes de baixa cotação.

Começou a chover.

O poeta quis parar e eu fiz-lhe a vontade, apesar da hipótese de nos virmos a arrepender e pagarmos esta decisão com uma constipação/gripe/pneumonia e despesas de farmácia, ou pior, com um aumento da prestação do seguro de saúde, ou pior, gastos com a agência funerária (isso deixaria o pai furioso, com todas as dificuldades que já tínhamos em casa e na fábrica).

O poeta tinha os olhos fechados, o rosto orientado para o céu. As gotas caíam-lhe na cara. Parecia que chorava muito.

Devia ser a chuva que dava essa sensação.

Encomendar comida

O pai, de uma maneira rude, ordenou que a mãe fizesse uma lasanha. Os progenitores da maior parte — oitenta e seis por cento — dos meus colegas não se tratam assim. Por exemplo, o pai da 76C, quando necessita de uma lasanha, pede com a cortesia exigida nestas transações: encomenda, não ordena. Diz assim: gostaria de encomendar uma lasanha. E ela cumpre a petição, vai para a cozinha e, durante uma ou duas horas, cozinha o prato requerido. Se forem precisos ingredientes que não existam em armazém, ela predispõe-se a sair, caminhar os metros necessários até à zona comercial mais próxima e adquirir os produtos em falta. Acontece o mesmo em nossa casa, mas quando há défice de ingredientes, o pai, mais uma vez, não os encomenda à mãe, limita-se a emitir uma ordem de compra. A mãe não demonstra qualquer tipo de indignação perante esta atitude. Normalmente baixa a cabeça, olha para as pantufas, patrocínio de fabricante de lâmpadas, coça a barriga da perna esquerda com o dorso da pantufa do pé direito, executando assim três a quatro movimentos verticais. Depois, vira-se com o fito de cumprir as suas obrigações domésticas e dar o seu contributo para o crescimento e prosperidade familiares. Um dia, confrontei o pai com esta situação. Ele irritou-se, os cabelos migraram para o ombro esquerdo.

    Por Mamon, o que é isto?
    Isto, o quê?
    Este desrespeito pela ordem.
    É uma manifestação de desagrado.
    E em que se baseia?
    Na experiência quotidiana.
    Na experiência pessoal? Qual é a fiabilidade de um estudo desses? Ou fizeste algum estudo sério sobre o assunto?
    Ainda não, disse eu.
O poeta aproximou-se, disse que tinha *um pássaro triste no coração*.
    Já para o quarto, ordenou o pai.
Depois, virando-se para mim enquanto pegava nos cabelos que estavam pousados no ombro esquerdo e os fazia viajar até à orelha direita, disse:
    A dinâmica de um lar exige uma liderança forte, que dê confiança a todos os contribuintes.

Mas um dia, pensei, apresentarei esse estudo.

Lucrativo
ou não?

A mãe estava muito mais velha, olheiras e ar cansado, a pele gasta, a pantufa do pé direito com um buraco de dois centímetros de diâmetro, buraco que retira do patrocínio três letras da palavra "lâmpada", ficando apenas a ler-se "pada". Confrontei-a com a situação da autoridade exercida pelo pai, que me parecia fora dos limites.

Ainda és muito nova, não sabes quanto são dois mais dois.

O pai é uma subtração para os outros.

É um cidadão de grande inteligência, diria mesmo um lucrativo!

Não é o que dizem as estatísticas.

Quais estatísticas?

As da fábrica. As pessoas não o acham lucrativo.

Bom, pode não ser, mas é uma pessoa financeira.

Não concordo.

Foi com grandes sacrifícios pecuniários que ele te comprou um poeta.

E depois coçou a barriga da perna esquerda, quatro movimentos na vertical, com a pantufa do pé direito, a que diz "pada".
Deixei-a sozinha e fui-me sentar na cama do poeta, a ver o mar com ele.

    Está tão parado, ó vate.
    É que antes de adormecer faço abdominais e flexões e alongamentos com a imaginação, para aquecer as articulações e os músculos da fantasia. Não quero ter sonhos com mialgias de esforço.
    E o que é uma mialgia?
    É quando, por exemplo, nos magoamos nos joelhos...
    Nos joelhos?
    É como quando ao esticarmo-nos em frente à baliza para marcar dois golos de uma vez.

Francamente...

Inutilista, sem dúvida nenhuma

Percebi que estava cada vez mais inutilista e que pensava em coisas só pela sua beleza e não queria saber do seu valor monetário ou instrumental.
Estava cada vez mais esquisita, como dizia o meu irmão. Por vezes, também eu ficava a olhar para um inseto, para um padrão de um tapete, para um copo de chá com uma rodela de limão. Ou pior, para a marca que um copo de chá deixava na toalha da mesa (patrocinada por uma marca de frigoríficos).
No outro dia, na escola, perguntaram-me para que é que eu queria um poeta.
 Disse que gostava de poemas.
    Inutilista!, gritaram.
    Vocês não percebem que eu estou a acumular cultura?
    Para quê?
    Para montes de coisas.
    Montes? Isso é uma quantidade? Gasta um bocadinho connosco para demonstrar o valor da transação.

Irritei-me e respondi, muito agressiva:

A cultura não se gasta. Quanto mais se usa, mais se tem.

E eles ficaram, a princípio, calados, e depois enrubesceram-se-lhes as faces e desataram a rir às gargalhadas, chamando-me de louca inutilista, que não sabia quanto eram dois mais dois.

Quando cheguei a casa corri para o quarto. Tinha a cara cheia de lágrimas e estava tão triste e ao mesmo tempo tão furiosa que nem sei qual a quantidade de choro que efetivamente deixei escapar das bolsas lacrimais.

O poeta, ao ver-me chegar assim, naquele estado de bancarrota, aproximou-se, bateu na porta do quarto, que estava entreaberta em trinta centímetros, e perguntou se podia entrar. Não respondi, pois soluçava ininterruptamente. Ele sentou-se na cama ao pé de mim, a uns parcos vinte e dois centímetros, e ficou em silêncio.

Não sou uma inutilista, disse-lhe eu.

Ele continuou em silêncio.

Não sou, pois não?

Ele continuou em silêncio.

A culpa é sua, que me está a deixar confundida, sem organização, sem objetivos definidos. Ele continuou em silêncio.

Na escola acusam-me inclusivamente de pronunciar frases ambíguas. Nunca me senti tão humilhada. E ele levantou-se e foi para o quarto dele, com a cabeça dobrada, as costas curvas, os cabelos caídos nos olhos e as suas ridículas roupas sem quaisquer patrocínios.

A poesia faz-nos muito mal

No dia seguinte e no dia seguinte e no dia seguinte, aliás, todos os dias, o pai gritava com o poeta e terminava a discussão dizendo:
Vá para o seu quarto e não saia de lá até eu ordenar!
Perguntei à mãe o que se passava.
O poeta tem a mania de andar a dizer poemas.
É isso que eles fazem.
O papá precisa de concentração. Os negócios não vão bem.
Talvez os poemas possam melhorar os negócios.
Não sei de onde me saiu aquela ideia absurda.
Por Mamon, de onde é que te saiu essa ideia absurda?
Hesitei.
A poesia está a fazer-nos muito mal, muito mal, disse a mãe.
Há uma certa tensão.
Sim, há, e não é só a conjuntura económica. O pai gritou da sala qualquer coisa, a mãe saiu para ver

o que era e voltou com lágrimas nos olhos. Fechou-se na casa de banho.

Foi um dia com uma percentagem de tristeza muito alta. O pai anunciou que a fábrica teve uma quebra muito grande no rendimento, que perdera patrocínios, inclusivamente os da sua própria secretária, os lucros baixaram muito. O pai declarou:

Estamos a entrar em recessão, receio que tenhamos de cortar seriamente na despesa, de um modo nunca antes executado.

A mãe perguntou timidamente quais as medidas a tomar.

Acima de tudo, rigor nas contas, mas temo que seremos obrigados a dispensar vários empregados da fábrica, os dos quadros e os outros, pôr estagiários a aprenderem o ofício, negociar as saídas sem qualquer indemnização e, evidentemente, devolver o poeta.

Vieram-me as lágrimas aos olhos, cerca de dois mililitros.

Desodorizante
nos sovacos

Falei com o meu irmão. Não podíamos perder o poeta, nem a poesia, nem aquela janela com vista para o mar.
    Qual janela?
    A que está em cima da cama do poeta.
O meu irmão punha desodorizante nos sovacos. Penteou o cabelo.
    Ouviste o que eu disse?
    Da janela?
    Do poeta.
    O que é que tem?
    Não podemos deixar que o pai o devolva.
    Não me arrombes a carteira. Tenho mais em que pensar.
    Tiraste os teus dividendos através dos poemas do vate.
    Não sei do que estás a falar.
Pôs perfume no pescoço, três borrifadelas.
    Eu vi-te a ler o papel que o poeta te deu. Leste à BB9,2 uns versos. E ela corou e o seu batimento car-

díaco elevou-se acima dos cento e cinquenta batimentos por minuto.

O meu irmão virou-se, fez-me, condescendente, uma festa na cabeça, deu dois passos na direção da porta da casa de banho e deixou-me ali a falar sozinha sobre os benefícios da poesia e dos seus possíveis lucros e a gritar: injustiça!

Enfim, nada do que eu dizia por essa altura fazia qualquer sentido e muitas vezes, mesmo nas aulas, cometia comparações, aliterações, rimas e hipérboles em voz alta, o que era embaraçoso. Nessa noite não fui ter com o poeta — não o conseguia encarar — para poder deitar-me sozinha na cama a chorar compulsivamente. Não fiz qualquer estimativa da quantidade de lágrimas. Nem senti necessidade de o fazer para me inteirar da tristeza e do desespero que sentia.

Pusemos o poeta no carro

Na semana seguinte pusemos o poeta no carro, estava absorto, via-se que não percebia o que se estava a passar. Percorremos uma estrada secundária, M372, durante sete quilómetros, um gasto de dois euros de gasóleo. Parámos debaixo de uma árvore, num jardim, tirámos o poeta do carro e arrancámos. Pelo espelho retrovisor, através de cerca de zero vírgula cinco mililitros de lágrimas, vi-o parado a olhar para nós. Coçou a cabeça, tirou o bloco e rabiscou qualquer coisa. Quarenta segundos depois, mais coisa menos coisa, deixei de o ver.

Não conseguia comer

Não conseguia comer, nem sequer uma garfada. Mesmo que quisesse: a comida em casa era um bem cada vez mais escasso. Felizmente não é essencial. Pus-me a escrever versos na parede. Escrevi uma paisagem para um jardim e escrevi uma margarida no cabo do meu lápis, pois estava com necessidade de que florisse. Também chorei muito e arranquei alguns dos patrocínios dos móveis do meu quarto.
A mãe bateu à porta e eu interrompi um soluço. Depois de dois minutos de silêncio, da minha parte e da parte dela, a maçaneta rodou e ela entrou devagarinho. Sentou-se na minha cama e afagou-me os cabelos.
Disse-me que eu estava obesa em mais de três quilos.
    E tu estás velha e com a pele gasta e usas pantufas que já ninguém patrocina.
Ela riu.
    As rugas são as cicatrizes das emoções que vamos tendo na vida.

Eu levantei um pouco o corpo, olhei para ela. A mãe tinha acabado de dizer um verso? Por Mamon, o que é que se passava com ela?

Foi o poeta que me disse.

Ah.

Disse-me muitos versos que me deixavam irritada. Ao princípio não conseguia lidar com isso.

Ah.

Não sei porquê, mas isso levou-me a repensar a minha posição no mercado da vida, quais os meus dividendos, as minhas dívidas, e senti que precisava de mudar qualquer coisa. Um destes dias, vais rir-te, estava a aspirar e olhei para o quarto do poeta, para aquilo que ele escreveu na parede, e sabes o que vi?

O mar?

Não sejas tola! Não, o que eu vi foi que um dia teria de limpar aquilo e que era só isso a minha vida. Ninguém me dá mais crédito do que isso. Limpar, cozinhar, enfim, é uma maneira de contribuir para a dinâmica social, mas deu-me... como dizer isto?

Um vazio?

Isso.

A mãe ficou uns segundos a olhar para mim.

Pareces o poeta a falar. Um vazio! É isso mesmo.

Dois

Acordei muito maldisposta. Estava mesmo a sentir falta de uma metáfora ou, pelo menos, de uma comparação. Sentada à mesa, imaginei que o poeta ainda estava connosco e me dizia:

Sem metáforas, por exemplo, não é muito interessante falar. Eu posso dizer que uma janela é uma janela, mas isso já toda a gente sabe. Com a poesia posso dizer que uma janela é um bocado de mar ou uma cotovia a voar.

Mentiras.

Por vezes são as únicas verdades.

Tem de concordar, ó vate, são mentiras.

O meu poeta pôs um ar solene:

Uma janela é uma janela, mas uma janela que é um pássaro a voar é uma realidade mais profunda, para lá do vidro, algo que está para além da definição do dicionário, está do outro lado da janela, mas que faz parte dela e que a descreve, ainda que por um breve momento. Uma janela é muitas coisas e...

Francamente...
Enquanto bebia um sumo de três laranjas espremidas, sem açúcar, olhei para a janela no exato momento em que uma cotovia a atravessava de um lado ao outro. Sorri.

O que nasce do vazio

A mãe divorciou-se pois tinha ideias mais altas do que servir bolonhesa e esparguete com ervilhas e receber em troca dois miligramas de saliva em forma de beijo ou das palavras "está insosso".
O pai disse certa noite (adoro quando sou ambígua com as datas, aprendi com a poesia) que a casa estava fria, dois graus Celsius abaixo do que seria confortável para um ser humano. A mãe pegou numa (1) jarra e atirou-a contra a cabeça do pai, que soltou um (1) grito de surpresa. A mãe levantou uma (1) cadeira de pinho, quatro quilos duzentos e quarenta gramas de madeira (4240g), levantou-a acima da cabeça, batendo com os pés da mesma num candeeiro de teto, de cobre, fundindo três (3) lâmpadas e partindo uma (1), todas (4) de quarenta watts, e atirou a cadeira contra o pai que estava agachado com um (1) esgar de terror mortal na face, os dentes (32 naturais e 2 postiços) a baterem, os cabelos desalinhados, aqueles cabelos que tapavam a falta de cabelos (não é isso que fazem to-

dos os cabelos?) estendidos sobre o ombro esquerdo, derrotados. O pai levantou os braços enquanto a cadeira voava na sua direção. Poesia: a cadeira não lhe acertou, mas o efeito de ter sido atirada ficou indelevelmente gravado na face do pai.
A mãe gritou duas palavras que eu achei extremamente poéticas: "Estou farta". Achei que aquilo era o mesmo que dizer *rage, rage against the dying of the light*. Sim, foi isso. Poesia!
A mãe, muito séria, ajeitou o cabelo, puxou o vestido para baixo — estava treze ou catorze centímetros subido e via-se aquela zona opaca dos colãs — e saiu da sala. Trouxe uma mala.

Para quê?, perguntou o pai enquanto olhava para a mala de couro castanho, como se aquilo fosse a carcaça de um animal morto (adoro comparações!).

Para pores as tuas vinte e duas cuecas, o *aftershave*, a escova de dentes, os quatro fatos, as doze gravatas e os teus dezassete pares de meias e saíres imediatamente de cá de casa.
Foi o que aconteceu uma hora depois, jamais me esquecerei da figura triste do pai, ainda com o terror estampado no rosto e os cabelos pendurados sobre o ombro esquerdo. Deu uma olhada por cima das costas antes de sair.
Disse que a mãe se iria arrepender e a mãe não disse nada.
Quando a porta se fechou, perguntou-me o que é que eu queria para jantar.

Beringelas recheadas, disse eu.
E ela — poesia! — respondeu:

Vou ensinar-te a fazer, que a partir de hoje já não sou cozinheira de ninguém.

Mudar de vida

A nossa vida mudou muito e eu também.
O pai conseguiu salvar o negócio da bancarrota com um golpe de génio que serviu de estudo na área financeira. De onde lhe viera aquela ideia, perguntaram-lhe, e ele respondeu:

Da disciplina, das horas que passei a fazer contas, a calcular todos os cenários económicos possíveis, a focar-me na conjuntura global sem me esquecer dos problemas locais, a ler estudos feitos sobre esses mesmos assuntos.

Mas não foi nada disso, foi apenas um verso que lhe veio à memória e que resolvia aquela crise. De onde veio a ideia para salvar a fábrica?, perguntei-lhe numa tarde em que lanchámos juntos, eu comi um bolo patrocinado por uma empresa de exportações de leguminosas, ele bebeu uma água, patrocínio de uma marca de vinho.
Limitou-se a encolher os ombros e a dizer:

Não sei, mas tenho de encomendar um estudo.

Quais foram, concretamente, as medidas tomadas?
Pus, na fábrica, aquecimentos no inverno.
Foi isso?
Sim.
Como é que surgiu essa ideia?
Sinergias várias.
Despender com os trabalhadores para lucrar com isso? É uma ideia muito estranha.
Confesso que é um pouco difícil de explicar.
Hei de encomendar um estudo.
Vasculhei a sua secretária à procura de pistas que explicassem esta maneira tão incomum de resolver um problema tão económico. Num bloco do pai, cheio de contas e números, encontrei, a lápis, escrito na contracapa: *Um beijo é mais eficiente à temperatura do corpo.* Foi isso. Tenho a certeza. O poeta disse este verso ao pai, talvez o tenha escrito ele próprio, e, de repente… enfim, a economia foi sensível àquilo. E hoje, por todo o país, há gestores a usarem a mesma técnica: se os colaboradores estiverem a trabalhar a uma temperatura agradável, são mais produtivos. Agora usam-se aquecimentos em todo o lado. Todos os estudos são unânimes em afirmar que o aumento da produtividade compensa largamente o investimento nos aquecimentos e respetivo gasto diário em energia.
Há ainda outros estudos, acusados por muitos especialistas de usarem argumentos inutilistas, que afirmam que o bem-estar de um colaborador, a sua felicidade no trabalho, tem influência direta na produtividade e na competitividade, havendo até quem sugira ousadamente que a redução de horas de trabalho poderá ser

responsável por um incremento na produção e daqui resultar um maior lucro para o empresário.
O pai, neste momento, é considerado uma das pessoas mais lucrativas do país.

Nunca se abandona a poesia nem num parque, nem na vida

Nunca abandonei aquele poeta, ainda o visito no parque. Não sei quantas pessoas ainda visitam os seus poetas abandonados, mas se procurarem bem, há muitos parques cheios deles, dentro e fora de nós. O meu, que comprei quando tinha treze ou catorze anos, ainda o visito. Sentamo-nos os dois e dizemos inutilidades. Algumas dessas inutilidades até são poemas. Ele olha para mim com lágrimas nos olhos (deixei de contabilizar estas coisas), eu fico com uma metáfora na garganta, abraço-o, e somos felizes durante uns segundos, ou melhor, durante eternidades.

A poesia, diz-me ele, transfigura o universo e faz emergir a realidade descrita com a absoluta precisão da ambiguidade. Nunca li um bom verso que não voasse da página em que foi escrito. A poesia é um dedo espetado na realidade.

Um poeta é como quem sai do banho e passa a mão pelo espelho embaciado para descobrir o seu próprio rosto.

Era isto que ele me dizia. Eu limpava os espelhos na esperança de me sentir assim, tentava desembaciar a vida, como o poeta dizia que tínhamos de fazer, passar a mão pela realidade até vermos um sorriso. Sei que é um trabalho árduo, há demasiado vapor a tornar a vida pouco nítida, desfocada. Mas vou insistir.

O poeta dizia que os versos libertam as coisas. Que quando percebemos a poesia de uma pedra, libertamos a pedra da sua "pedridade". Salvamos tudo com a beleza. Salvamos tudo com poemas. Olhamos para um ramo morto e ele floresce. Estava apenas esquecido de quem era. Temos de libertar as coisas. Isso é um grande trabalho. Sei que muitas mudanças na minha vida aconteceram graças a ele.

Por isso, jamais deixarei de me sentar ao seu lado, com metáforas na garganta, a trocar inutilidades. E, antes de me deitar, repito a oração que aprendi com o poeta:

Tenho milhas a percorrer antes de dormir.

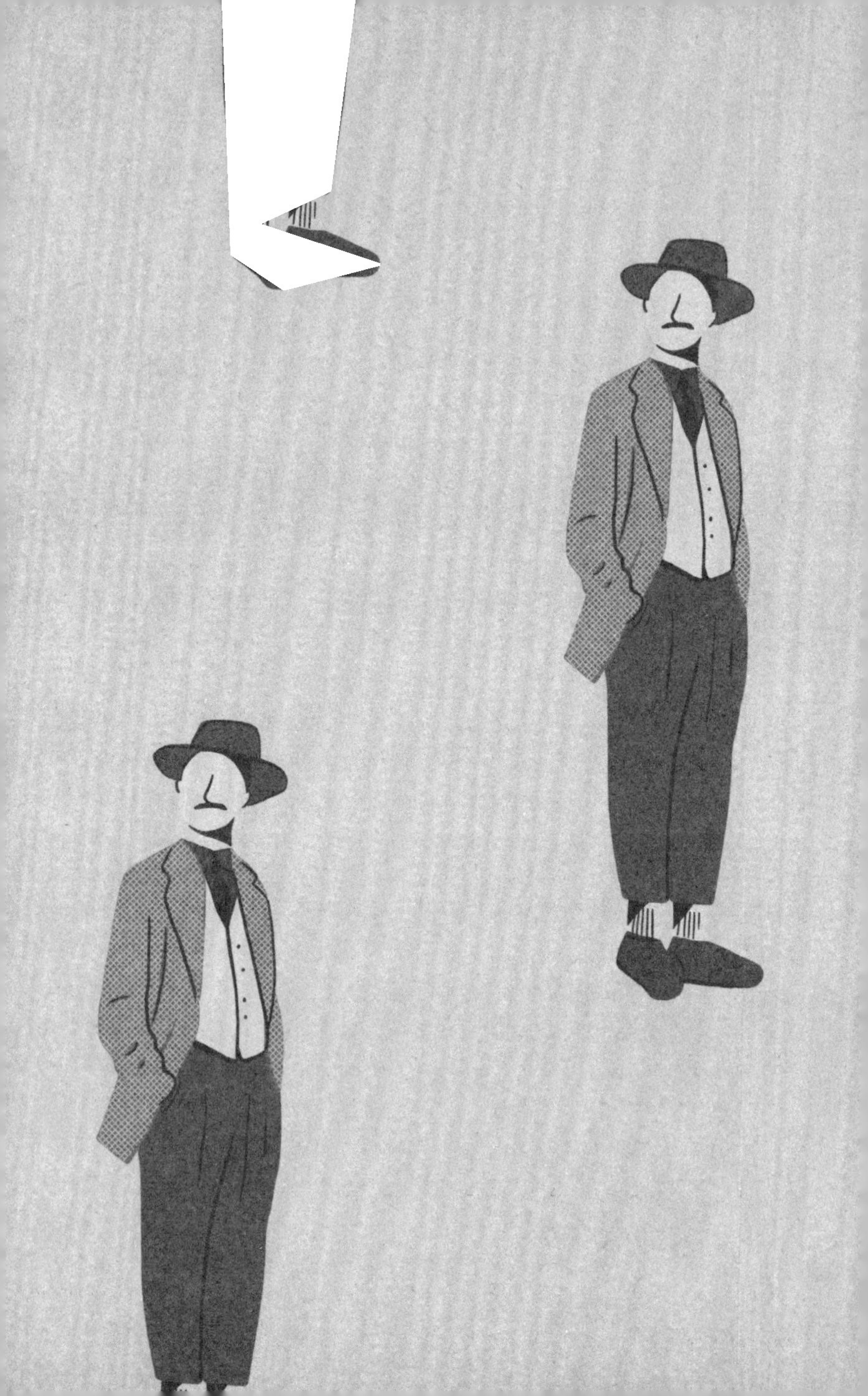

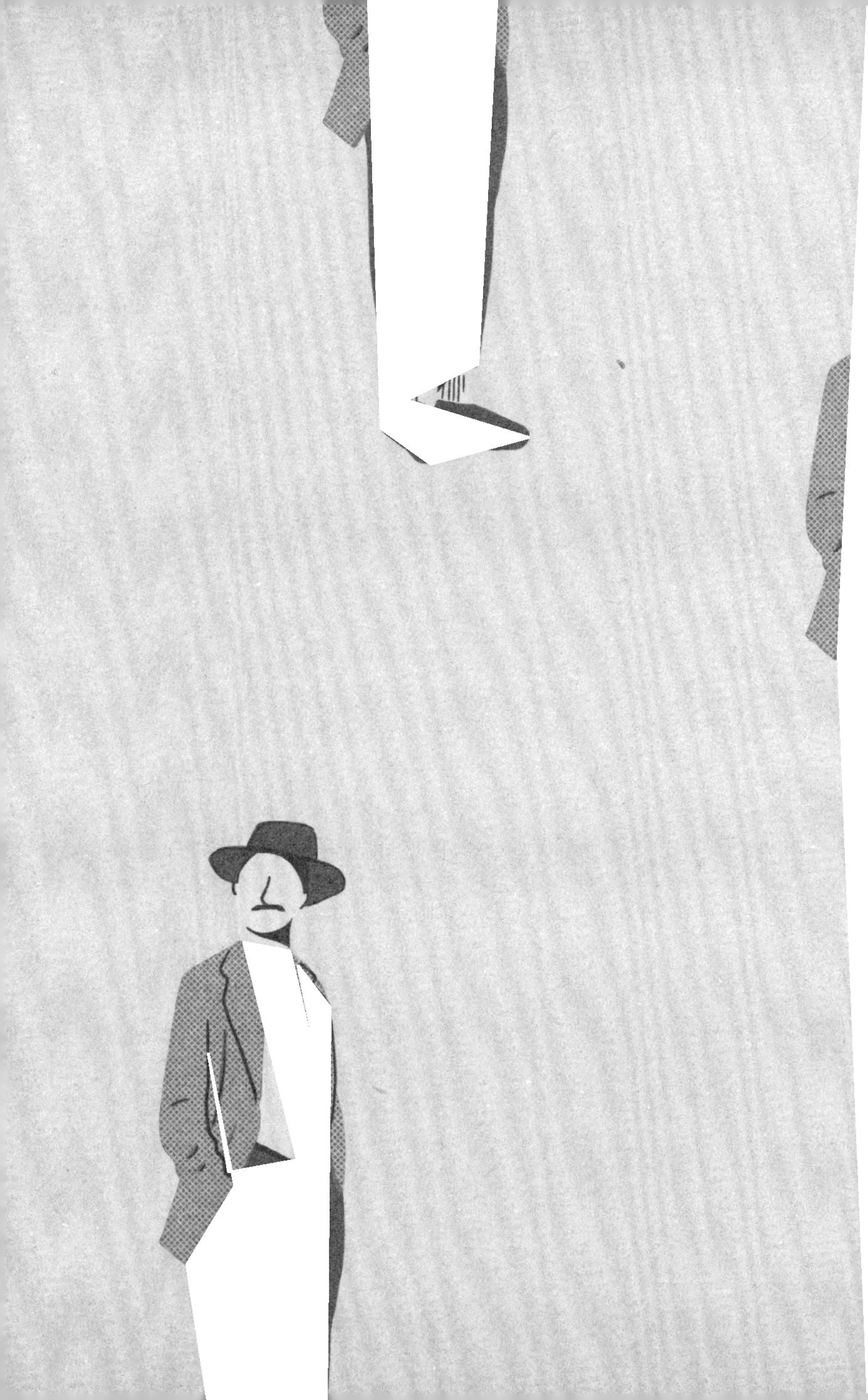

Apêndice

Göring disse: "Quando oiço a palavra *cultura*, saco do revólver". É assim que muita gente olha para a cultura. Não é mau, é sinal que é tão importante que pode ser ameaçadora, pode fazer sacar das armas. Se a arte e a literatura não tivessem importância, ninguém se preocuparia em incendiar a biblioteca de Alexandria (repetidas vezes), destruir os budas de Bamiyan ou as ruínas de Palmira. Se a cultura não fosse verdadeiramente importante, Göring não sacava do revólver.

Nesta história, o facto de se melhorar as condições do trabalho visa tão-só um incremento de produção. É melhor do que nada, mas está muito aquém da verdadeira utilidade daquilo que é inútil: "também Georges Bataille se perguntou, em *El límite de lo útil*, sobre a necessidade de imaginar uma economia atenta à dimensão do antiutilitarismo. Ao contrário de Keynes, o filósofo francês não sonhou com alegados e nobres propósitos utilitaristas, porque 'o capitalismo não tem nada a ver com o desejo de melhorar a condição humana'. Só à primeira vista parece ter 'por objetivo a melhoria do nível de vida', mas trata-se de uma 'perspetiva enganosa'. De facto, 'a produção industrial moderna eleva o nível médio sem atenuar a desigualdade de classes e, em definitivo, só por casualidade reduz alguma injustiça social'". (ORDINE, NUCCIO, *La utilidad de lo inútil*)

O erro está muito próximo da inutilidade e ambos têm um papel fulcral na criatividade. Não precisarei de salientar este ponto que já foi muito debatido, mas sublinho a convicção de que as coisas mais importantes da vida não são utilitárias: desprezamos quem faz um gesto por lucro ou benefício e não pelo gesto em si, ou por amizade ou amor. O que sentiríamos se um amigo confessasse que só conversa connosco porque lhe pagam para isso? Ou que uma mãe confessasse ao filho que apenas o educa e o trata bem de modo a ter alguém para a amparar na velhice? É na inutilidade que está o altruísmo e aquilo que o ser humano considera naturalmente mais nobre.

A ausência de utilitarismo numa obra de arte não lhe retira pragmatismo. Um criador pode não ter intenção de ganhar dinheiro com uma obra (a arte tem, normal-

mente, um fim em si mesma), mas ela pode vir a ser um produto comercial de sucesso, um criador pode não querer demonstrar proporções geométricas da natureza, mas não quer dizer que um matemático não as encontre lá. Assim como Claude Bernard não tinha qualquer intenção de provar a função glicogénica do fígado, mas ao fazer o seu comentário, revelou-a. Cito Simon Leys:
"Claude Bernard, cujas pesquisas foram de grande importância para o desenvolvimento da medicina moderna, entrou um dia no salão onde iria discursar e reparou em algo peculiar: nos vários tabuleiros colocados numa mesa, contendo diferentes órgãos humanos, em alguns amontoava-se grande quantidade de moscas. Uma mente comum, sem qualquer capacidade poética, talvez reclamasse da falta de higiene na sala ou ordenasse ao pessoal da limpeza que fechasse as janelas. Mas Bernard não tinha uma mente comum: constatou que as moscas se amontoavam nos tabuleiros que tinham fígados — e pensou: Deve haver açúcar ali. Descobriu assim a função glicogénica do fígado — que se provou decisivo no tratamento diabético.
Encontrei este episódio, não num livro de História da Ciência, mas nos diários do maior poeta modernista francês, Paul Claudel. E Claudel comentou: 'Este processo mental é o mesmo do da poesia... A essência é a mesma. O que demonstra que a fonte do pensamento científico não é a razão, mas a

verificação exata de uma associação originalmente fornecida pela imaginação'".

Repare-se que quando me refiro a "poesia", uso a palavra no seu sentido mais profundo. Samuel Johnson, no seu monumental dicionário, tem três definições para a palavra "poeta", em ordem decrescente de importância: primeiro, "alguém que inventa"; segundo, "autor de ficção"; e por último, "escritor de poemas".

"A verdade é alcançada por saltos imaginativos. Isto aplica-se tanto à ciência como à filosofia". (SIMON, LEYS, *The hall of uselessness: collected essays*)

Ainda outro caso, mais longínquo:
"Certa vez, ao reprovarem Tales pela pobreza e pela inutilidade da sua filosofia, este previu, graças aos seus conhecimentos de astronomia, que haveria uma excelente colheita de azeitonas. Quando ainda era inverno e com o pouco dinheiro que possuía, investiu em todos os lagares de Mileto e de Quíos, arrendando-os quando não tinha concorrência. Ao chegar a altura da colheita, houve uma grande procura de lagares, e Tales subalugou-os pelo preço que quis, tendo um lucro tremendo e demonstrando ser fácil para um filósofo tornar-se rico, desde que o queira, mas salientando: não é isso que nos move". (ARISTÓTELES, *Política, I, 11, 1259a*)

Muitas vezes se justifica a ficção como uma pretensa fuga da realidade (como disse Eliot, a humanidade não aguenta muita realidade), como se esta não nos chegasse ou nos magoasse, e por isso necessitássemos da imaginação, um pouco como precisamos de drogas e de entretenimento. Podemos ser mais pragmáticos e descobrir na fantasia uma utilidade bem maior do que esse escape psicológico dos horrores e das injustiças.

A ficção não é um escape da fealdade (ou apenas isso), do horror e da injustiça sociais, é, isso sim, o planeamento para a construção de uma alternativa, a arquitetura de uma outra hipótese de sociedade que seja mais consentânea com as nossas expectativas humanas e morais.

"Não é todos os dias que o mundo se organiza num poema", disse Wallace Stevens, mas todos os dias tentamos fazer com que alguns poemas se tornem mundo. A despeito de todos os esforços de dissuasão, desistir de o fazer não é uma opção humana.

A ficção e a cultura constroem tudo o que somos. Não nascemos com pelos e dentes afiados e garras. Criamos roupas e ferramentas, que são sempre produto da ficção, da cultura. A verdade salva-nos, por motivos evidentes, mas a ficção também. Podemos avisar que um tigre se aproxima, é importante dizer a verdade, constatar, mas para nos defendermos dele, precisamos de, antes de o animal ter aparecido, ter imaginado essa possibilidade para que nos consigamos salvar. A ficção salva-nos. Literalmente. Por imaginarmos, conseguimos saber o que fazer, conseguimos ter as ferramentas ou opções necessárias ao ato. Os animais nascem com a verdade, com uma sólida realidade que lhes deixa um reduzido espectro de aprendizagem; nós nascemos com menos verdade, com menos realidade, mas com possibilidades, com as armas imponderáveis da ficção: criamos. Um garfo ou um alicate têm uma utilidade evidente e nesse sentido valerão sempre mais do que um verso, mas um garfo ou o alicate precisaram de ser inventados. E, para isso, foi preciso imaginá-los, criá-los. Quando olhamos à nossa volta e vemos cadeiras, mesas, camisas, escovas, colheres, lâmpadas, canetas, livros, o que estamos a ver não é algo que nasce connosco, é algo que nasceu da imaginação, da ficção, das ideias. Esse mundo que nos rodeia é produto da cultura.

Uma sociedade pode ser melhor se a imaginarmos melhor. Temos aquilo que Locke chamava perfectibilidade, essa estranha característica que nos permite evoluir até conquistarmos uma humanidade idealizada, pensada, imaginada. O nosso futuro será sempre uma ficção, algo que ainda não existe, a transformação da potência em ato.

Hölderlin diz-nos para que serve um poeta: "Tudo o que permanece foi fundado pela poesia".

O matemático e filósofo inglês A. N. Whitehead diz-nos que a ciência deve aprender com a poesia; "quando um poeta exalta a beleza do Céu e da Terra não manifesta a fantasia da sua ingénua conceção do mundo, mas sim os factos concretos da experiência 'purgados da análise científica'". (SABATO, ERNESTO, *Uno y el universo*)

Vamos então aos números (neste caso, referentes ao contexto português, mas que reflectem uma realidade global): segundo um artigo do *Negócios*, o primeiro grande estudo realizado em Portugal sobre o impacto da cultura na economia data de 1988, e concluiu que a despesa dos portugueses com a cultura representava 13% do PIB, ou seja, há mais de trinta anos "que os responsáveis políticos conhecem o impacto do setor na economia. Recentemente ficámos a saber mais. Em 2010, Augusto Mateus, antigo ministro da Economia, publica um relatório que aponta que o 'setor cultural e criativo originou, no ano de 2006, um valor acrescentado bruto (VAB) de 3691 milhões de euros, empregando cerca de 127 mil pessoas, isto é, foi responsável por 2,6% do emprego e por 2,8% da riqueza criada em Portugal'. No mesmo ano, a indústria têxtil e de vestuário tinha gerado 1,9% do VAB português. Alimentação e bebidas 'apenas' 2,2%. Entre 2000 e 2006, o emprego total cresceu 0,4%, enquanto nos setores ligados à Cultura a variação foi 4,5%. Cinco anos depois, o INE calcula que as famílias portuguesas gastavam em 2011 uma média de 1073 euros em 'lazer, distração e cultura', equivalente a 5,3% dos gastos totais dos agregados familiares. Não se pode dizer que os sucessivos governos tenham sido muito sensíveis a estas avaliações. O Estado português gasta pouco com Cultura e tem despendido cada vez menos, desde 2009." (*Negócios*, 28 de Março de 2013)

Ou seja, mesmo se nos abstrairmos de coisas tão irrisórias como a felicidade e o crescimento pessoal, e nos concentrarmos apenas nos números, a falta de investimento na cultura deve-se a uma ignorância extrema.

E, antes de nos deitarmos, deveríamos repetir a oração:

Tenho milhas a percorrer antes de dormir.

E não abandonar os poetas nos parques.

Este livro contém versos (citados ou neles inspirados) de Paul Celan, Walt Whitman, Ramón Gómez de la Serna, Henri Michaux, Yeats, Szymborska, Bukowski, Wallace Stevens, Herberto Helder, T. S. Eliot, Dylan Thomas, Teresa de Ávila, Ingeborg Bachmann, Robert Frost. Há muitos mais que, não tendo participado diretamente nesta novela, são blocos construtores daquilo que sou. Lamento não os poder nomear a todos, mas se tomarmos atenção, poderemos surpreendê-los a espreitar por entre as palavras deste livro.

Copyright © 2016 Afonso Cruz
Publicado em Portugal pela Editorial Caminho, 2016
O autor é representado pela Bookoffice (bookoffice.booktailors.com)

*Revisado segundo o Novo Acordo Ortográfico da Língua Portuguesa.
Nos casos de dupla grafia, foi mantida a original.*

CONSELHO EDITORIAL
Eduardo Krause, Gustavo Faraon, Nicolle Garcia Ortiz, Rodrigo Rosp e Samla Borges
PREPARAÇÃO E REVISÃO
Rodrigo Rosp
CAPA E PROJETO GRÁFICO
Luísa Zardo
FOTO DO AUTOR
Arquivo pessoal

DADOS INTERNACIONAIS DE CATALOGAÇÃO NA PUBLICAÇÃO (CIP)

C957v Cruz, Afonso.
 Vamos comprar um poeta / Afonso Cruz.
 — Porto Alegre : Dublinense, 2020.
 96 p. ; 19 cm.

ISBN: 978-85-8318-140-8

1. Literatura Portuguesa. 2. Romance Português.
I. Título.

CDD 869.39

Catalogação na fonte:
Ginamara de Oliveira Lima (CRB 10/1204)

Todos os direitos desta edição
reservados à Editora Dublinense Ltda.
Porto Alegre • RS
contato@dublinense.com.br

Descubra a sua próxima
leitura na nossa loja online

dublinense .COM.BR

Composto em MINION PRO e impresso na IPSIS,
em PÓLEN BOLD 90g/m² , no VERÃO de 2025.